'사고력수학의 시작'

팡세

pensées

S3

6세 | 유추

사고가 자라는 수학
씨투엠

사고력 수학을 묻고
팡세가 답해요

Q: 사고력 수학은 '왜' 해야 하나요?

사고력 수학은 아이에게 낯선 문제를 접하게 함으로써 여러 가지 문제 해결 방법을 아이 스스로 생각하게 하는 것에 목적이 있어요. 정석적인 한 가지 풀이법만 알고 있는 아이는 결국 중등 이후에 나오는 응용 문제에 대한 해결력이 현저히 떨어지게 되지요. 반면 사고력 수학을 통해 여러 가지 풀이법을 스스로 생각하고 알아낸 경험이 있는 아이들은 한 번 막히는 문제도 다른 방법으로 뚫어낼 힘이 생기게 된답니다. 이러한 힘을 기르는 데 있어 사고력 수학이 가장 크게 도움이 된다고 확신해요.

Q: 사고력 수학이 '필수'인가요?

No but Yes! 초등 수학에서 가장 필수적인 것은 교과와 연산이지요. 또 중등에서의 서술형 평가를 대비하기 위한 서술형 학습과 어려운 중등 도형을 헤쳐나가기 위한 도형 학습 정도를 추가하면 돼요. 사고력 수학은 그 다음으로 중요하다고 할 수 있어요. 다만 만약 중등 이후에도 상위권을 꾸준하게 유지하겠다고 하시면 사고력 수학은 필수랍니다.

Q: 사고력 수학, 꼭 '어려운' 문제를 풀어야 하나요?

No! 기존의 사고력 수학 교재가 어려운 이유는 영재교육원 입시 때문이었어요. 상위권 중에서도 더 잘하는 아이, 즉 영재를 골라내는 시험에 사고력수학 문제가 단골로 출제되었고, 이에 대비하기 위해 만들어진 것이 초창기 사고력 수학 교재이지요. 하지만 모든 아이들이 영재일 수는 없고, 또 그래야할 필요도 없어요. 사고력 수학으로 영재를 확실하게 선별할 수 있는 것도 아니에요. 따라서 사고력 수학의 원래 목적, 즉 새로운 문제를 풀 수 있는 능력만 기를 수 있다면 난이도는 중요하지 않답니다. 오히려 어려운 문제는 수학에 대한 아이들의 자신감을 떨어뜨리는 부작용이 있다는 점! 반드시 기억해야 해요.

Q: 사고력 수학 학습에서 어떤 점에 '유의'해야 할까요?

가장 중요한 것은 아이가 스스로 방법을 생각할 수 있는 시간을 충분히 주는 거예요. 엄마나 선생님이 옆에서 방법을 바로 알려주거나 해답지를 줘버리면 사고력 수학의 효과는 없는 거나 마찬가지랍니다. 설령 문제를 못 풀더라도 아이가 스스로 고민하는 습관을 가지고, 방법을 찾아가는 시간을 늘리는 것이 아이의 문제해결력과 집중력을 기르는 방법이라고 꼭 새기며 아이가 스스로 발전할 수 있는 가능성을 믿어 보세요.

또 하나 더 강조하고 싶은 것은 문제의 답을 모두 맞힐 필요가 없다는 거예요. 사고력 수학 문제를 백점 맞는다고 해서 바로 성적이 쑥쑥 오르는 것이 아니에요. 사고력 수학은 훗날 아이가 더 어려운 문제를 풀기 위한 수학적 힘을 기르는 과정으로 봐야 하는 거지요. 그러니 아이가 하나 맞히고 틀리는 것에 일희일비하지 말고 우리 아이가 문제를 어떤 방법으로 풀려고 했고, 왜 어려워 하는지 표현하게 하는 것이 훨씬 중요하답니다. 사고력 수학은 문제의 결과인 답보다 답을 찾아가는 과정 그 자체에 의미가 있다는 사실을 꼭! 꼭! 기억해 주세요.

팡세의 구성과 특징

1. 패턴, 퍼즐과 전략, 유추, 카운팅 - 새로운 시대에 맞는 새로운 사고력 영역!

2. 아이가 혼자서도 술술 풀어나가며 자신감을 기르기에 딱 좋은 난이도!

3. 하루 10분 1장만 풀어도 초등에서 꼭 키워야 하는 사고력을 쑥쑥!

일일 소주제 학습

하루에 10분씩 매일 1장씩만 꾸준히 풀면 돼.

5일 동안 배운 것 중 가장 중요한 문제를 복습하는 거야!

주차별 확인학습

월간 마무리 평가

4주 동안 공부한 내용 중 어디가 부족한지 알 수 있다. 삐리삐리~

이 책의 차례

S3

pensées

같은 것과 다른 것

✏️ 다른 것을 찾아 아래쪽 그림에 ◯표 하세요. 모두 **5군데**입니다.

❶

✏️ 숨어 있는 동물을 찾아 ◯표 하세요.

❶

❷

❸

❹

⑤

⑥

⑦

⑧

✏️ 물건을 찾아 선을 이어 보세요.

❶

❷

❸

❹

✏️ 알맞은 그림자를 찾아 ◯표 하세요.

1

2

3

4

⑤

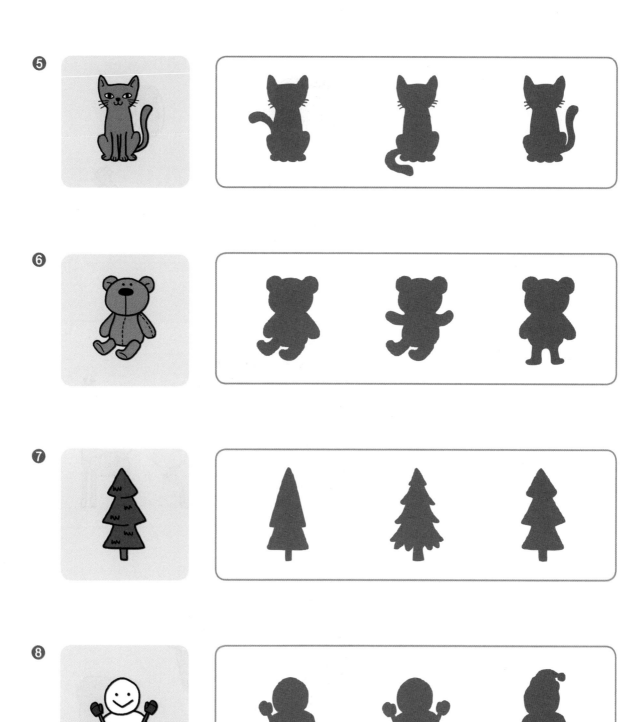

⑥

⑦

⑧

✎ 그림자를 보고 없는 것을 찾아 ✕표 하세요.

❶

❷

❸

❹

❺

❻

✏️ 물건을 찾아 선을 이어 보세요.

❶

✏️ 알맞은 그림자를 찾아 ◯표 하세요.

❷

❸

2 주차

속성 분류

같은 종류 모으기

✏️ 관계 있는 것끼리 모으려고 합니다. 선으로 이어 보세요.

①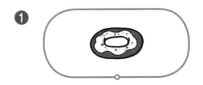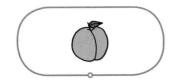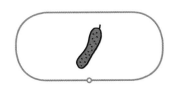

❷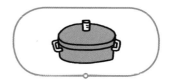

❸

어울리지 않는 것

✏️ 같은 종류끼리 모아 놓았습니다. 어울리지 않는 것을 1개 찾아 ✕표 하세요.

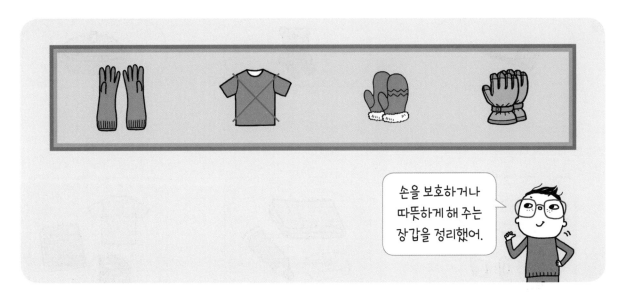

손을 보호하거나 따뜻하게 해 주는 장갑을 정리했어.

❶

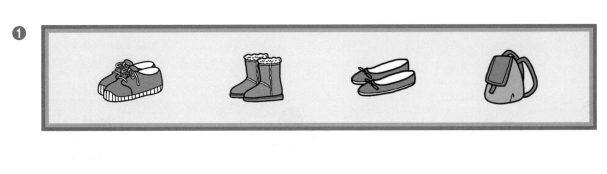

❷

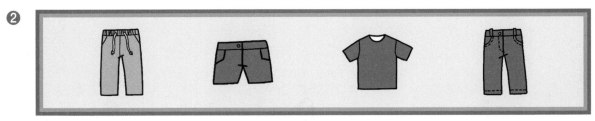

❸

✏️ 색깔, 모양, 크기, 개수와 같이 물건의 특징이나 성질을 속성이라고 합니다. 색깔과 모양 속성을 찾아 선으로 이어 보세요.

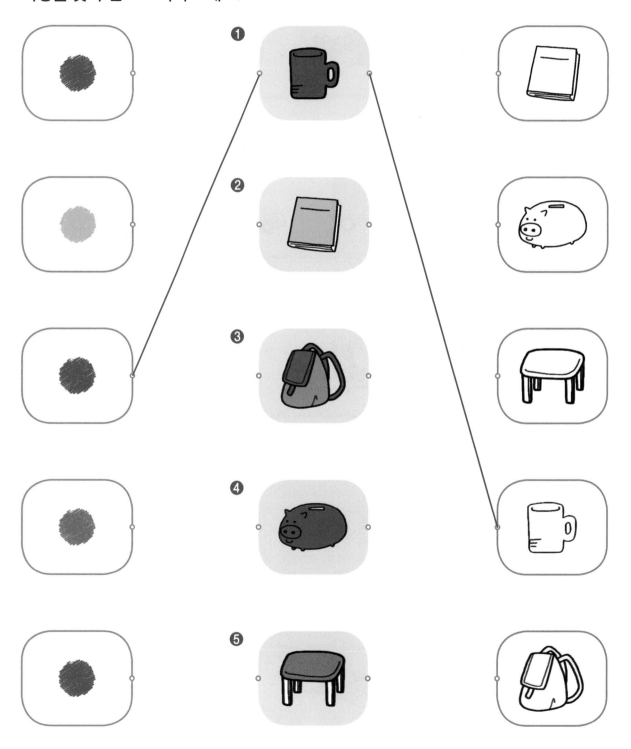

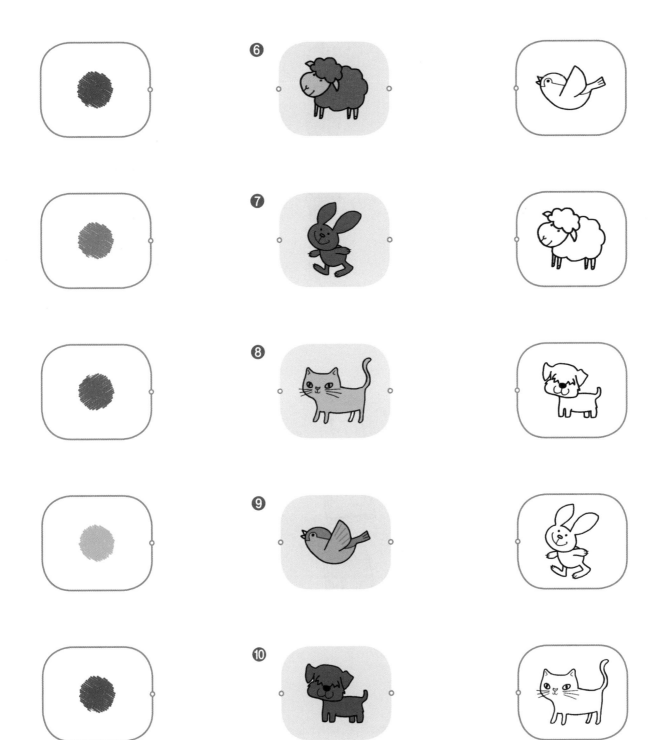

✏️ 모양, 색깔 속성을 모두 만족하도록 표를 만들었습니다. 잘못된 것을 찾아 ✕표 하세요.

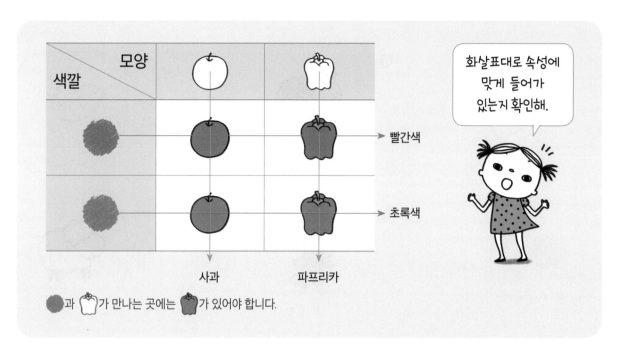

화살표대로 속성에 맞게 들어가 있는지 확인해.

🔴과 🫑가 만나는 곳에는 🫑가 있어야 합니다.

❶

색깔 \ 모양	📓	✏️
🟡	📘	✏️
🔴	📕	✏️

❷

색깔＼모양		

❸

색깔＼모양		

✏️ 속성에 맞게 표를 완성해 보세요.

가로줄, 세로줄에 맞게
그림을 그려 봐.

❶

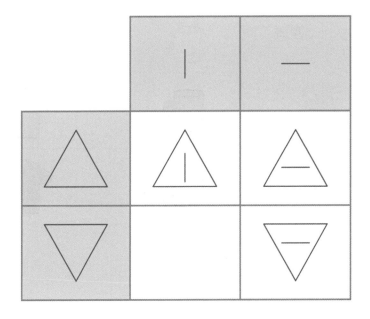

❷

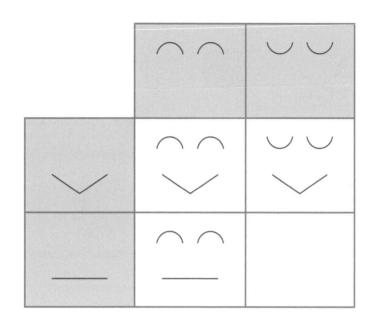

❸

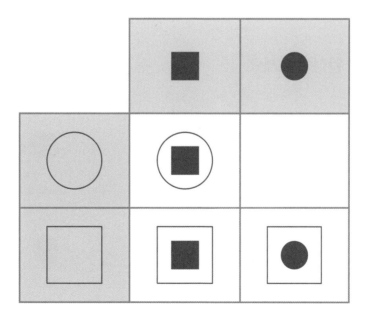

✎ 관계 있는 것끼리 모아 놓았습니다. 어울리지 않는 것을 1개 찾아 ×표 하세요.

❶
❷
❸

✎ 속성에 맞게 표를 완성해 보세요.

❹

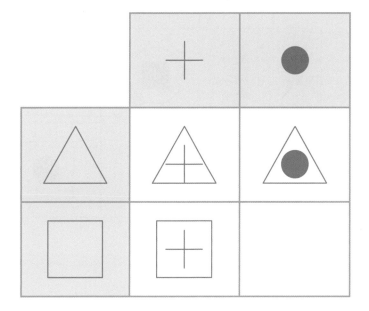

관계 추리

✏️ 관계 있는 것을 찾아 연결해 보세요.

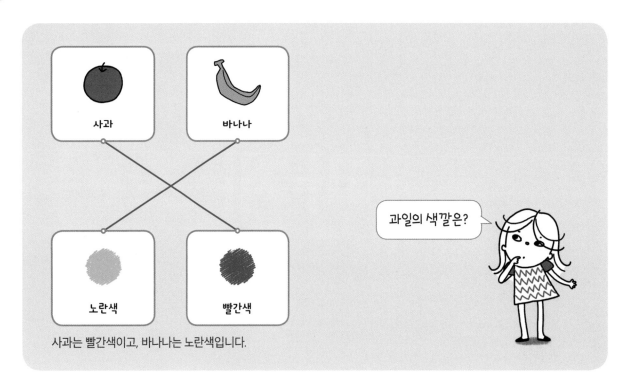

사과

바나나

노란색

빨간색

과일의 색깔은?

사과는 빨간색이고, 바나나는 노란색입니다.

❶

하늘

바다

❷

부엌

화장실

고래

새

접시

칫솔

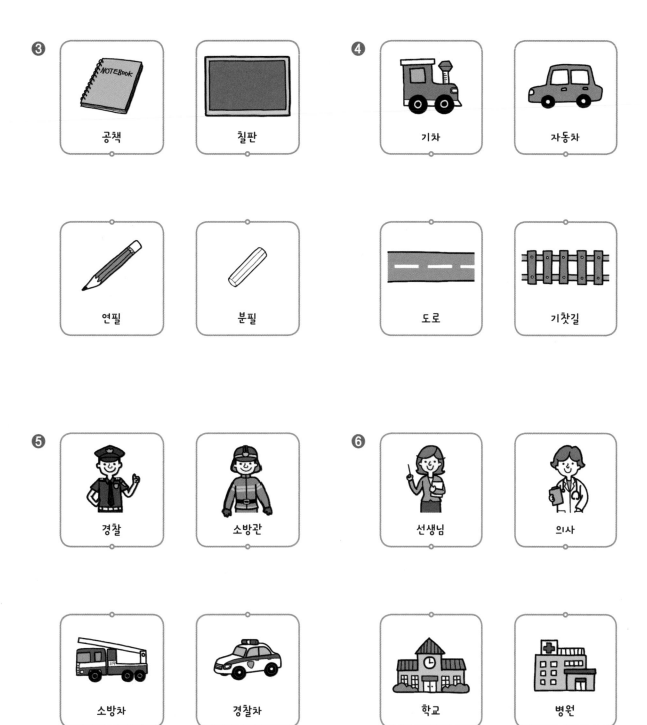

③ 공책 / 칠판 / 연필 / 분필

④ 기차 / 자동차 / 도로 / 기찻길

⑤ 경찰 / 소방관 / 소방차 / 경찰차

⑥ 선생님 / 의사 / 학교 / 병원

짝 맞추기

✏️ 앞의 두 그림과 같은 관계가 되도록 ☐ 안에 알맞은 그림을 찾아 기호를 쓰세요.

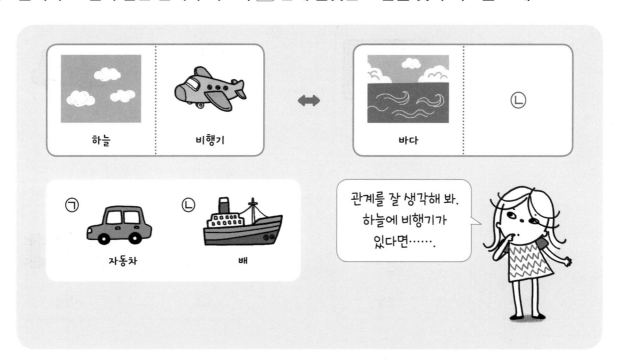

하늘 · 비행기 ⟷ 바다 · ㉡

㉠ 자동차   ㉡ 배

관계를 잘 생각해 봐. 하늘에 비행기가 있다면…….

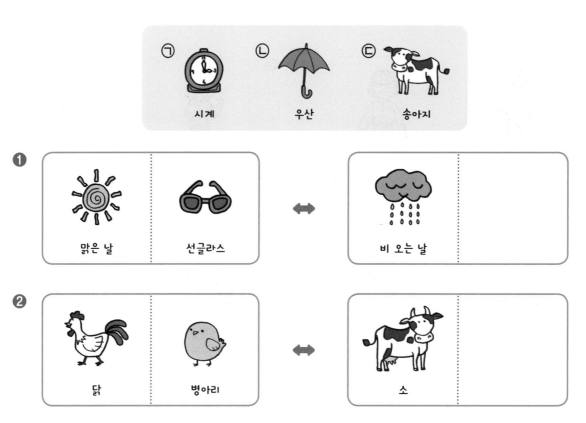

㉠ 시계   ㉡ 우산   ㉢ 송아지

❶ 맑은 날 · 선글라스 ⟷ 비 오는 날

❷ 닭 · 병아리 ⟷ 소

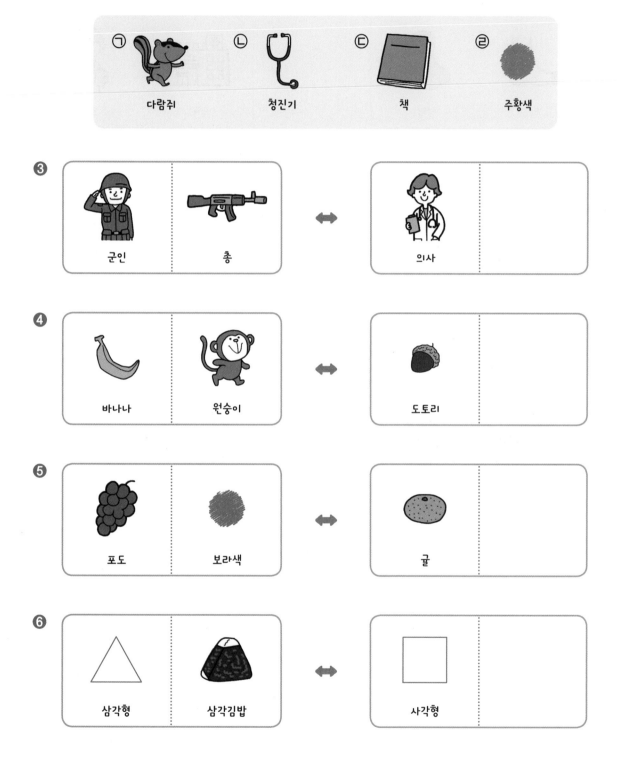

✏️ 관계가 같은 것끼리 선으로 이어 보세요.

❶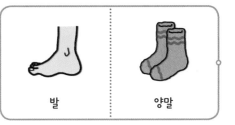
발　양말

병원　의사

❷
병아리　닭

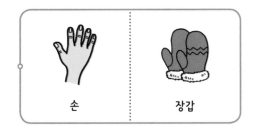
손　장갑

❸
학교　선생님

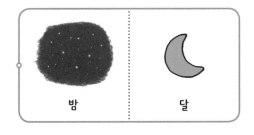
밤　달

❹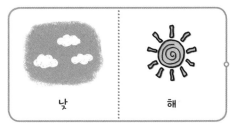
낮　해

올챙이　개구리

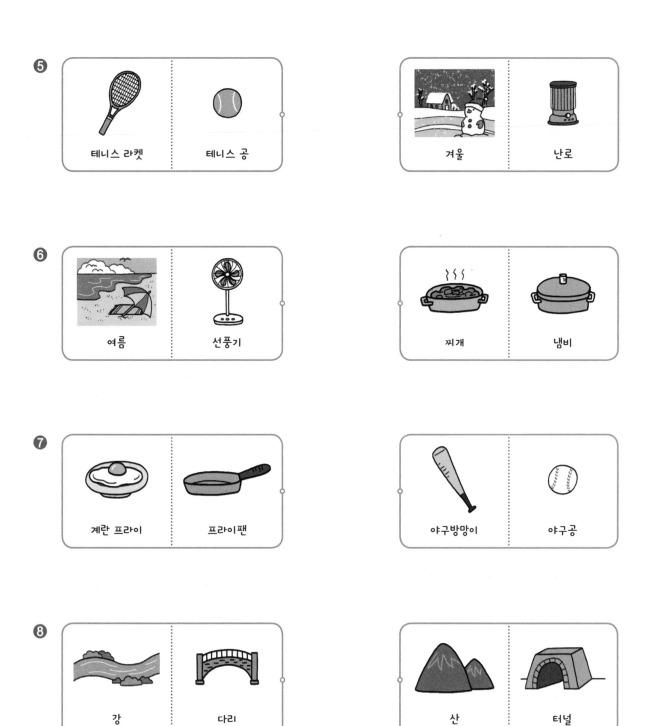

⑤ 테니스 라켓 / 테니스 공

겨울 / 난로

⑥ 여름 / 선풍기

찌개 / 냄비

⑦ 계란 프라이 / 프라이팬

야구방망이 / 야구공

⑧ 강 / 다리

산 / 터널

✏️ 관계를 찾아 빈 곳에 알맞은 그림에 ◯표 하세요.

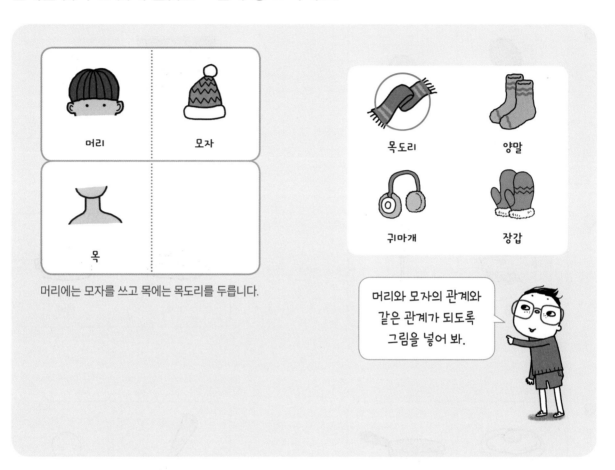

머리에는 모자를 쓰고 목에는 목도리를 두릅니다.

머리와 모자의 관계와 같은 관계가 되도록 그림을 넣어 봐.

❶

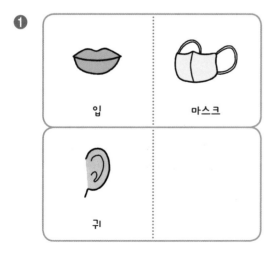

❷

❸
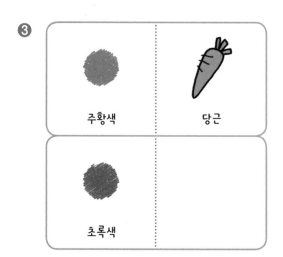

❹
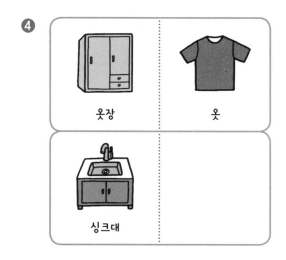

✏️ 관계가 맞도록 빈 곳에 알맞은 그림을 찾아 기호를 쓰세요.

도토리는 다람쥐가 좋아하고, 당근은 토끼가 좋아합니다.

동물들 중에서 가장 어울리는 것을 찾아봐.

❶

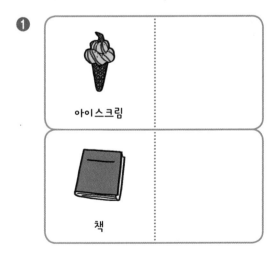

❷

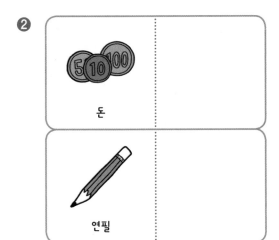

돈

연필

ㄱ 지갑

ㄴ 필통

ㄷ 바구니

ㄹ 봉지

❸

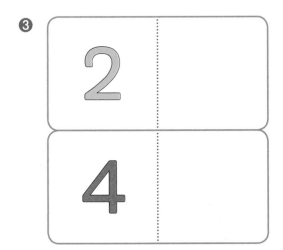

2

4

ㄱ 숟가락

ㄴ 젓가락

ㄷ 윷

ㄹ 자전거

✏️ 관계가 같은 것끼리 선으로 이어 보세요.

❶
바나나 　 원숭이

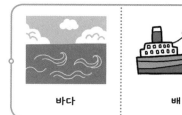
바다 　 배

❷
하늘 　 비행기

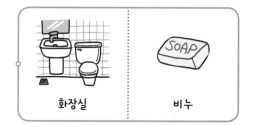
화장실 　 비누

❸
스케치북 　 크레파스

도토리 　 다람쥐

❹
부엌 　 냄비

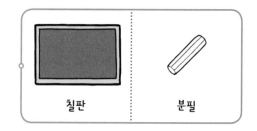
칠판 　 분필

4
주차

관계 상자

관계 상자에 넣었을 때 나오는 것을 찾아 선으로 이어 보세요.

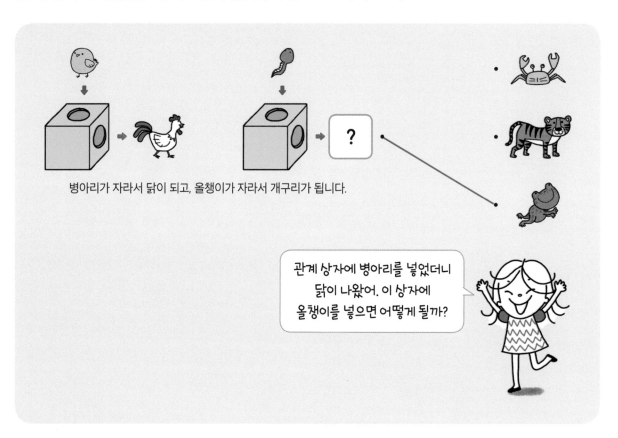

병아리가 자라서 닭이 되고, 올챙이가 자라서 개구리가 됩니다.

관계 상자에 병아리를 넣었더니 닭이 나왔어. 이 상자에 올챙이를 넣으면 어떻게 될까?

①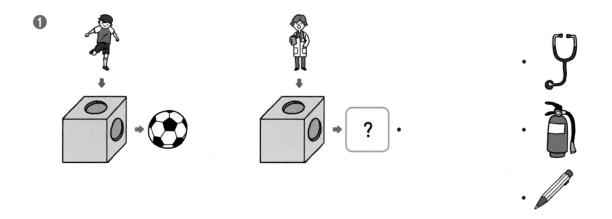

❷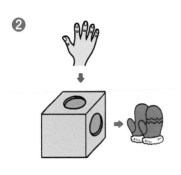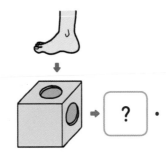

❸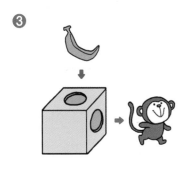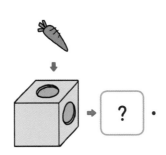

❹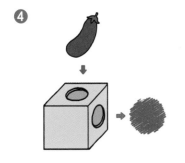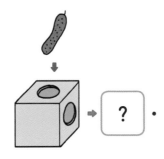

개수가 바뀌는 상자

✏️ 관계 상자에 넣었을 때 나오는 것을 찾아 ◯표 하세요.

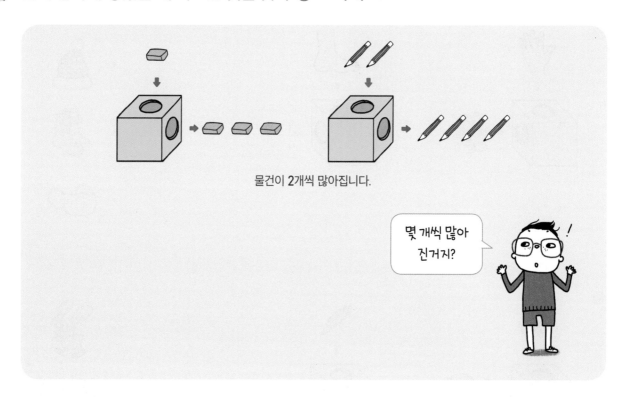

물건이 **2**개씩 많아집니다.

몇 개씩 많아
진거지?

①

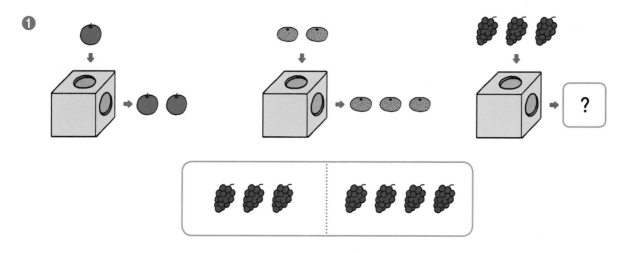

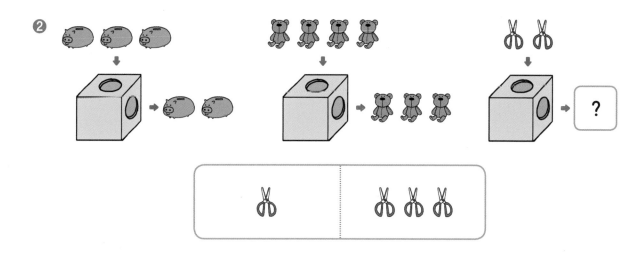

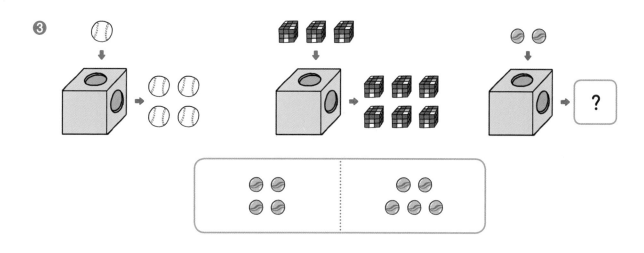

✎ 관계 상자에 넣었을 때 나오는 것을 찾아 ○표 하세요.

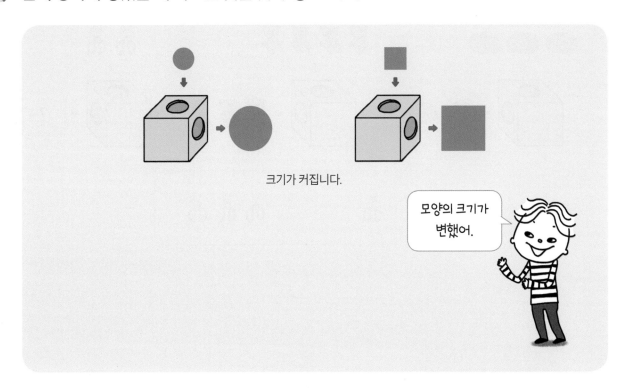

크기가 커집니다.

모양의 크기가 변했어.

❶

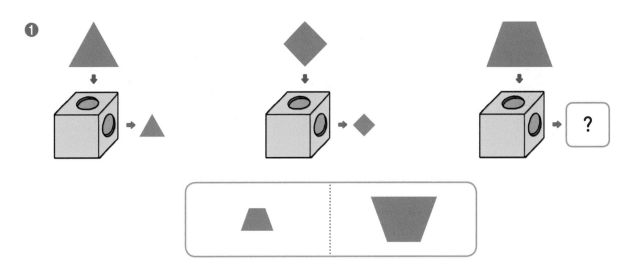

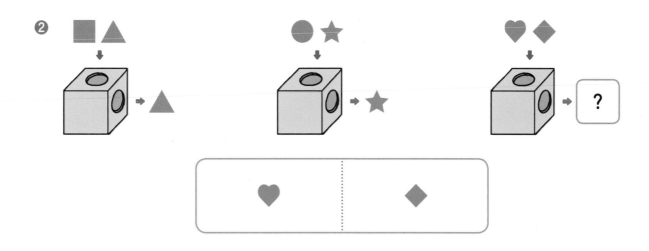

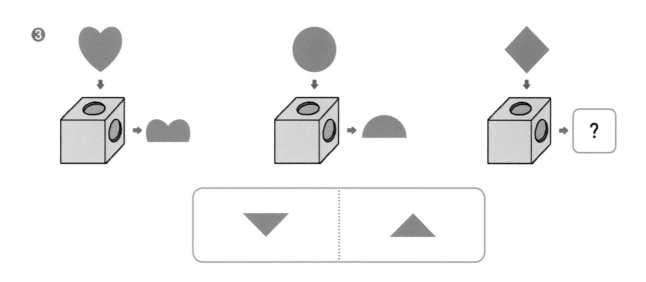

✏️ 관계 상자에 넣었을 때 나오는 것을 찾아 ◯표 하세요.

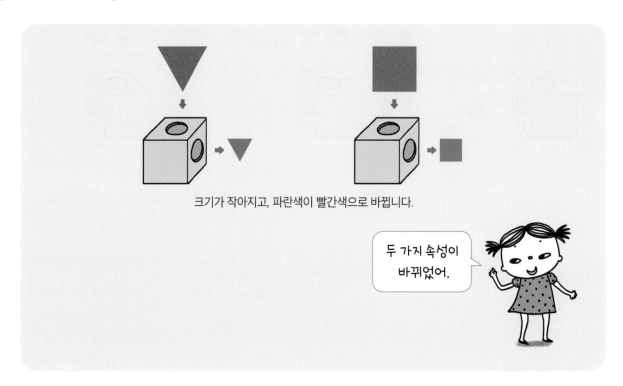

크기가 작아지고, 파란색이 빨간색으로 바뀝니다.

두 가지 속성이 바뀌었어.

❶

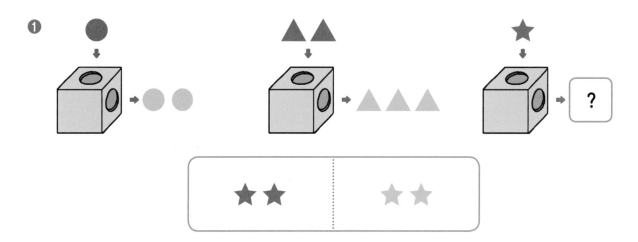

❷

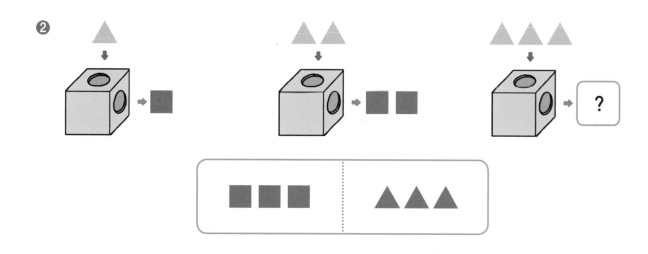

❸

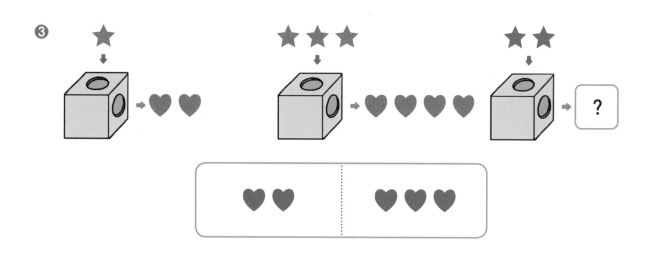

이중 상자 (2)

✏️ 관계 상자에서 나온 것을 보고 상자에 넣은 모양을 찾아 ○표 하세요.

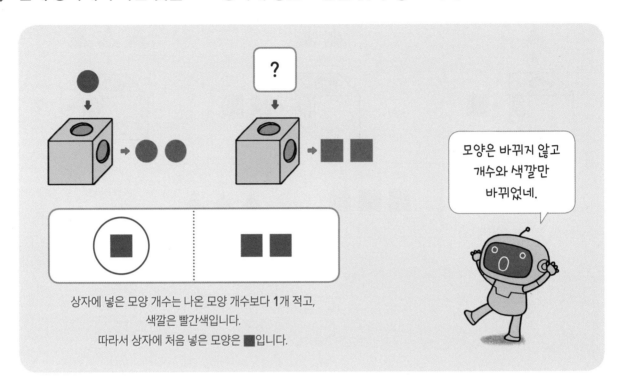

상자에 넣은 모양 개수는 나온 모양 개수보다 1개 적고,
색깔은 빨간색입니다.
따라서 상자에 처음 넣은 모양은 ■입니다.

①

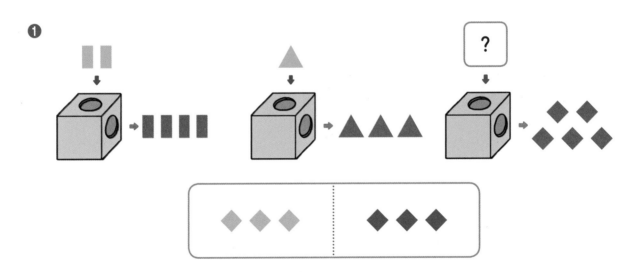

❷

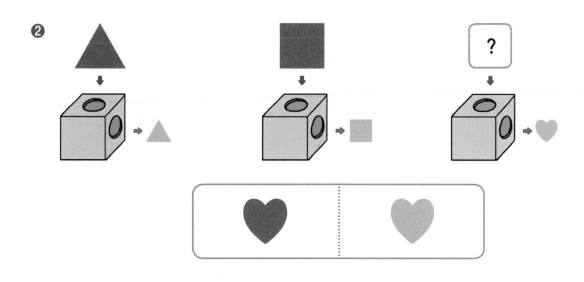

❸

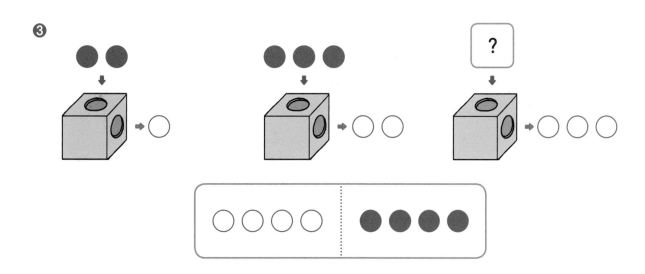

✏️ 관계 상자에 넣었을 때 나오는 것을 찾아 ◯표 하세요.

①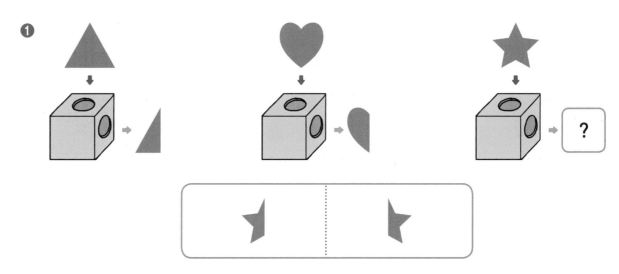

②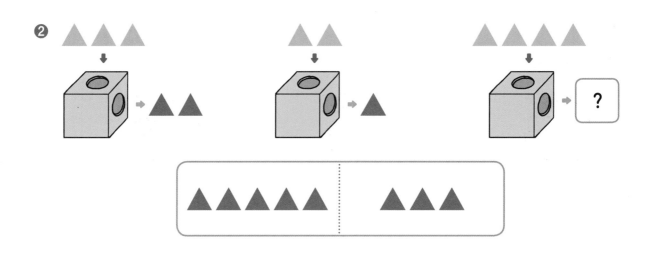

마무리 평가

마무리 평가는 앞에서 공부한 4주차의 유형이 다음과 같은 순서로 나와요.
틀린 문제는 몇 주차인지 확인하여 반드시 다시 한 번 학습하도록 해요.

1주차	**3** 주차
2 주차	**4** 주차

✜ 숨어 있는 동물을 찾아 ○표 하세요.

❶

❷

✜ 속성에 맞게 표를 완성해 보세요.

❸

♣ 관계 있는 것을 찾아 연결해 보세요.

❹

♣ 관계 상자에서 나온 것을 보고 상자에 넣은 모양을 찾아 ○표 하세요.

❺

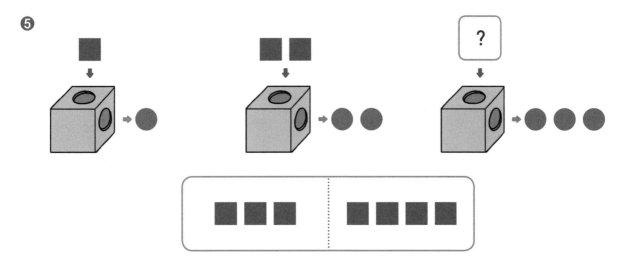

♣ 동물을 찾아 선을 이어 보세요.

①

♣ 관계있는 것끼리 모아 놓았습니다. 어울리지 않는 것을 1개 찾아 ✕표 하세요.

②

③

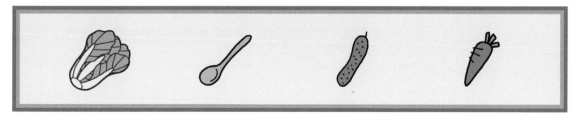

❖ 관계를 찾아 빈 곳에 들어가는 그림에 ◯표 하세요.

❹

빨간색	딸기
보라색	

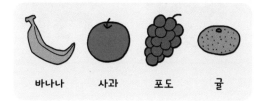

바나나　사과　포도　귤

❺

책장	책
필통	

연필　접시　신발　당근

❖ 관계 상자에 넣었을 때 나오는 것을 찾아 선으로 이어 보세요.

❻

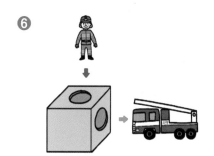

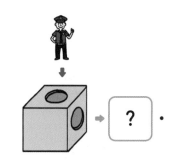

?

✤ 알맞은 그림자를 찾아 ◯표 하세요.

❶

❷

✤ 모양, 색깔 속성을 모두 만족하도록 표를 만들었습니다. 잘못된 것을 찾아 ✕표 하세요.

❸

색깔 ＼ 모양	🍶	🍽
⬤		
⬤		

✚ 관계가 같은 것끼리 선으로 이어 보세요.

❹
하늘　　　새

닭　　　병아리

❺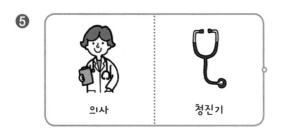
의사　　　청진기

바다　　　물고기

❻
소　　　송아지

군인　　　총

✚ 관계 상자에 넣었을 때 나오는 것을 찾아 ◯표 하세요.

❼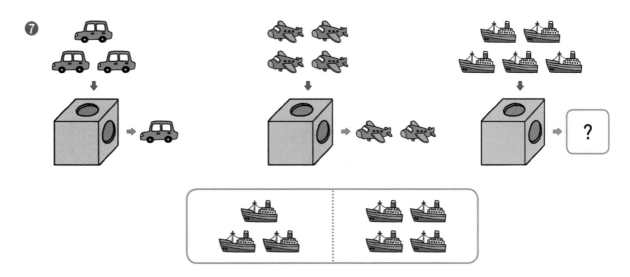

❖ 그림자를 보고 없는 것을 찾아 ✕표 하세요.

❶

❖ 색깔과 모양 속성을 찾아 선으로 이어 보세요.

❷

❸

❹

✿ 관계가 맞도록 빈 곳에 알맞은 그림을 찾아 기호를 쓰세요.

❺

✿ 관계 상자에 넣었을 때 나오는 것을 찾아 ○표 하세요.

❻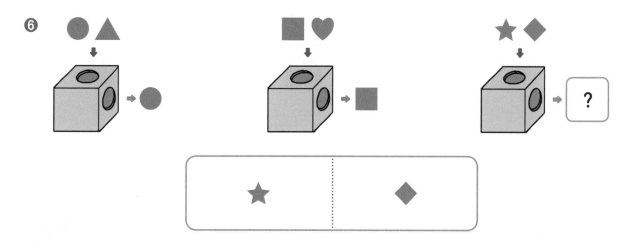

❖ 숨어 있는 동물을 찾아 ◯표 하세요.

①

②

❖ 같은 종류끼리 모으려고 합니다. 선으로 이어 보세요.

③

✤ 앞의 두 그림과 같은 관계가 되도록 ☐ 안에 알맞은 그림을 찾아 기호를 쓰세요.

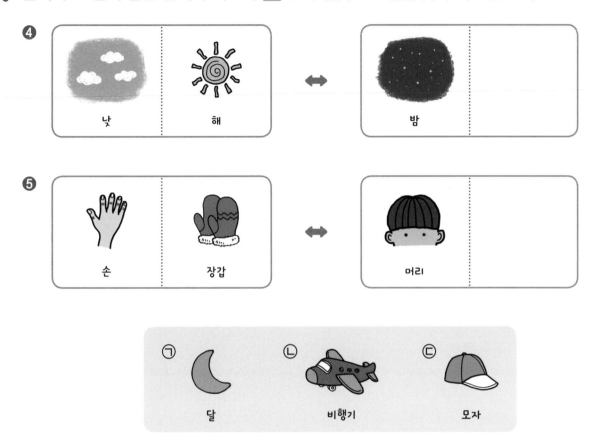

❹
낮 | 해 ↔ 밤 |

❺
손 | 장갑 ↔ 머리 |

㉠ 달　　㉡ 비행기　　㉢ 모자

✤ 관계 상자에 넣었을 때 나오는 것을 찾아 ◯표 하세요.

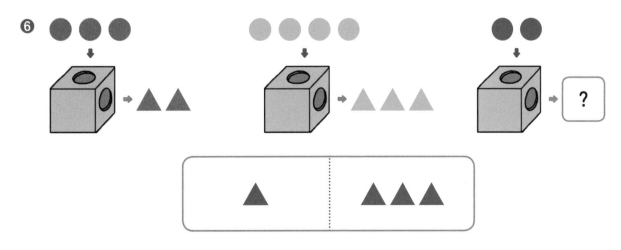

❻

?

▲ | ▲▲▲

pensées

사고가 자라는 수학

씨투엠

'사고력수학의 시작'

팡세
pensées

S3
정답과 풀이

사고가 자라는 수학

씨투엠

네이버 공식 지원 카페 필즈엠

씨투엠에듀 공식 인스타그램

'사고력수학의 시작'

확장

pensées

S3

정답과 풀이

1주차 같은 것과 다른 것

DAY 1

다른 그림 찾기

✎ 다른 것을 찾아 아래쪽 그림에 ◯표 하세요. 모두 5군데입니다.

❶

❷

DAY 2

같은 것 찾기 (1)

◆ 숨어 있는 동물을 찾아 ◯표 하세요.

①

②

③

④

⑤

⑥

⑦

⑧

같은 것과 다른 것

DAY 3

같은 것 찾기 (2)

✏️ 물건을 찾아 선을 이어 보세요.

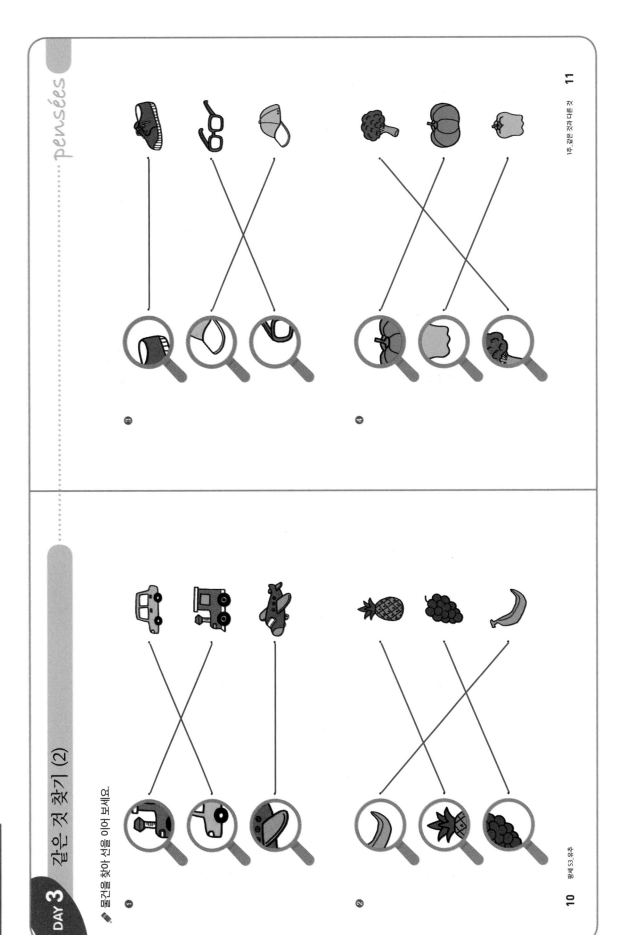

DAY 4

그림자 찾기 (1)

◆ 알맞은 그림자를 찾아 ○표 하세요.

❶

❷

❸

❹

❺

❻

❼

❽

같은 것과 다른 것

DAY 5

그림자 찾기 (2)

그림자를 보고 없는 것을 찾아 ✕표 하세요.

❶

❷

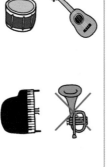

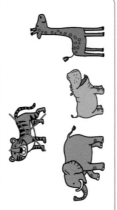

❸

❹

❺

❻

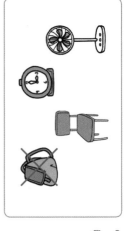

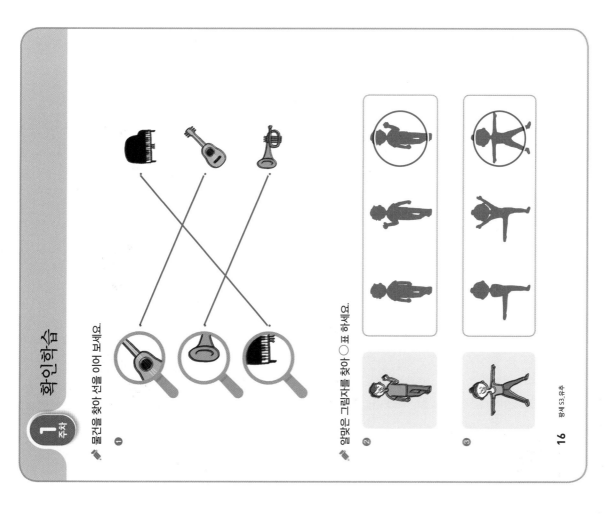

학인학습

1 주차

● 물건을 찾아 선을 이어 보세요.

② 알맞은 그림자를 찾아 ◯표 하세요.

③

DAY 1

같은 종류 모으기

관계 있는 것끼리 모으려고 합니다. 선으로 이어 보세요.

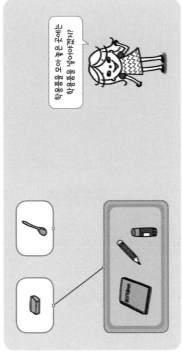

학용품을 모아 놓은 곳에는 학용품을 넣어야겠지?

 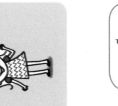  

❶

빵을 모아 놓은 것입니다.

채소를 모아 놓은 것입니다.

과일을 모아 놓은 것입니다.

---

pensées

내 방에 있는 물건을
모아 놓은 것입니다.

욕실에 있는 물건을
모아 놓은 것입니다.

부엌에 있는 물건을
모아 놓은 것입니다.

②

하늘을 나는 동물을
모아 놓은 것입니다.

물속에 사는 동물을
모아 놓은 것입니다.

땅 위에 사는 동물을
모아 놓은 것입니다.

③

DAY 2

어울리지 않는 것 ······ pensées

🖋 같은 종류끼리 모아 놓았습니다. 어울리지 않는 것을 1개 찾아 ×표 하세요.

손을 보호하거나
따뜻하게 해 주는
장갑을 정리했어.

①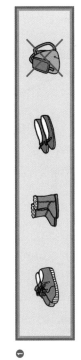

②

③

④

⑤

⑥

⑦

⑧

평세 53_유추

속성 분류

DAY 3 색깔 속성, 모양 속성

✏ 색깔, 모양, 크기, 개수와 같이 물건의 특징이나 성질을 속성이라고 합니다. 색깔과 모양 속성을 찾아 선으로 이어 보세요.

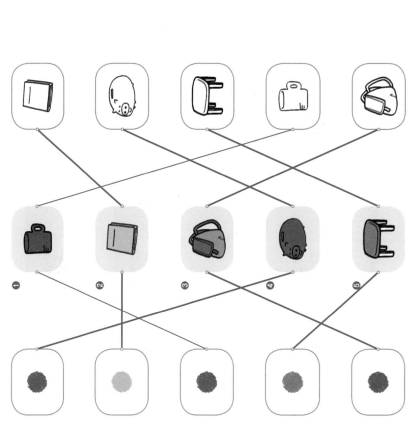

DAY 4

속성 표

모양, 색깔 속성을 모두 만족하도록 표를 만들었습니다. 잘못된 것을 찾아 ✕표 하세요.

> 화살표대로 속성에 맞게 들어가 있는지 확인해.

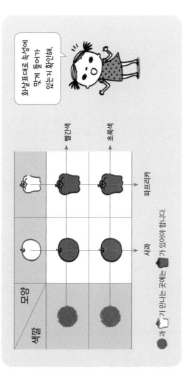

● 과 가 만나는 곳에는 가 있어야 합니다.

❶
● 과 이 만나는 곳에는 이 있어야 합니다.

❷
● 과 이 만나는 곳에는 이 있어야 합니다.

❸
● 과 가 만나는 곳에는 가 있어야 합니다.

2주차 속성 분류

DAY 5 속성표 완성

✏️ 속성에 맞게 표를 완성해 보세요.

가로줄, 세로줄에 맞게 그림을 그려 봐.

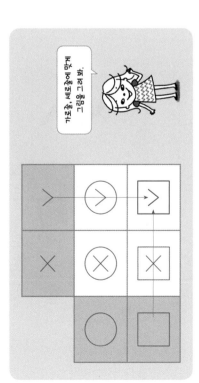

❷

❸

❶

확인학습

관계 있는 것끼리 모아 놓았습니다. 어울리지 않는 것을 1개 찾아 ✕표 하세요.

❶

❷

❸

속성에 맞게 표를 완성해 보세요.

❹

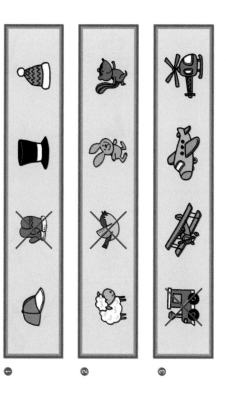

3주차 관계 추리

DAY 1 관계 있는 것 찾기

✎ 관계 있는 것을 찾아 연결해 보세요.

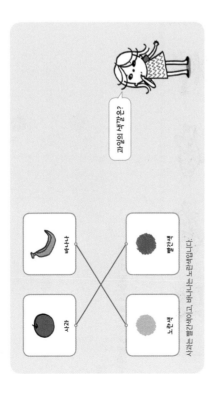

과일의 색깔은?

바나나 / 사과 / 빨간색 / 노란색

사과는 빨간색이고 바나나는 노란색입니다.

②

부엌 / 화장실 / 접시 / 칫솔

부엌에는 접시가 있고, 화장실에는 칫솔이 있습니다.

①

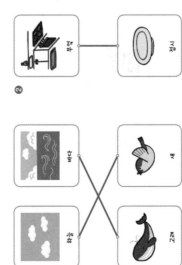

하늘 / 바다 / 새 / 고래

하늘에는 새가 있고 바다에는 고래가 있습니다.

④

기차 / 자동차 / 기찻길 / 도로

기차는 기찻길로 다니고, 자동차는 도로 위로 다닙니다.

③

칠판 / 공책 / 분필 / 연필

공책에는 연필로 쓰고 칠판에는 분필로 씁니다.

⑥

의사 / 선생님 / 병원 / 학교

선생님은 학교에 있고, 의사는 병원에 있습니다.

⑤

소방관 / 경찰 / 경찰차 / 소방차

경찰은 경찰차를 타고, 소방관은 소방차를 탑니다.

DAY 2

짝 맞추기

✎ 앞의 두 그림과 같은 관계가 되도록 □ 안에 알맞은 그림을 찾아 기호를 쓰세요.

관계를 잘 생각해 봐. 하늘에 비행기나 배라면……

바다 — ㉠

비행기 / 배 / 자동차 / 하늘

❶

시계 ㉠ / 우산 ㉡ / 송아지 ㉢

맑은 날 — 선글라스
비 오는 날 — ㉠

맑은 날에는 선글라스가 필요하고, 비 오는 날에는 우산이 필요합니다.

❷

닭 — 병아리
소 — ㉡

닭의 새끼는 병아리이고, 소의 새끼는 송아지입니다.

㉠ 다람쥐　㉡ 청진기　㉢ 책　㉣ 주황색

③ 의사 ↔ 군인 / 총

군인은 총을 가지고 있고, 의사는 청진기를 가지고 있습니다.

④ 원숭이 ↔ 바나나

바나나는 원숭이가 좋아하는 음식이고, 도토리는 다람쥐가 좋아하는 음식입니다.

⑤ 포도 ↔ 보라색 / 포도

포도는 보라색이고, 귤은 주황색입니다.

⑥ 삼각형 ↔ 사각형 / 삼각형

△ 모양은 삼각형, □ 모양은 사각형입니다.

3주차 관계 추리

DAY 3

관계가 같은 것

📝 관계가 같은 것끼리 선으로 이어 보세요.

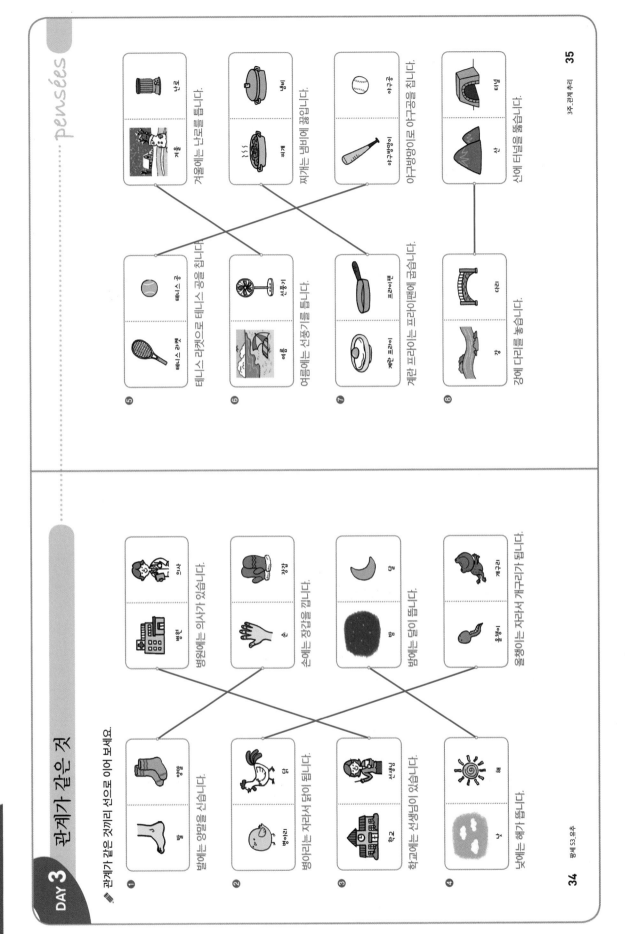

병원에는 의사가 있습니다.

손에는 장갑을 낍니다.

밤에는 달이 뜹니다.

올챙이는 자라서 개구리가 됩니다.

① 발에는 양말을 신습니다.

② 병아리는 자라서 닭이 됩니다.

③ 학교에는 선생님이 있습니다.

④ 낮에는 해가 뜹니다.

겨울에는 난로를 땝니다.

찌개는 냄비에 끓입니다.

야구방망이로 야구공을 칩니다.

산에 터널을 뚫습니다.

⑤ 테니스 라켓으로 테니스 공을 칩니다.

⑥ 여름에는 선풍기를 틉니다.

⑦ 계란 프라이는 프라이팬에 굽습니다.

⑧ 강에 다리를 놓습니다.

DAY 4

관계 추리 (1)

◆ 관계를 찾아 빈 곳에 알맞은 그림에 ○표 하세요.

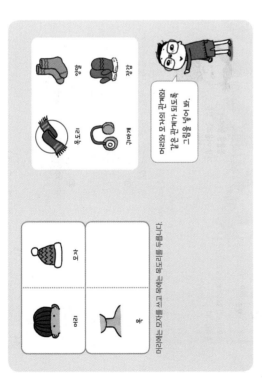

그러려면 더 따뜻하게 입어야겠다.

머리	모자
옷	목

머리에는 모자를 쓰고 목에는 목도리를 두릅니다.

❶

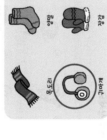

입	마스크
귀	

입에는 마스크를 쓰고 귀에는 귀마개를 씁니다.

---

❷

농구 골대	농구공
축구 골대	

테니스공 / 배구공 / 축구공 / 야구공

농구 골대에는 농구공을 넣고, 축구 골대에는 축구공을 넣습니다.

❸

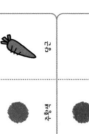

당근	
주황색	초록색

파프리카 / 호박 / 가지 / 오이

주황색 채소는 당근이고 초록색 채소는 오이입니다.

❹

옷	
옷장	싱크대

접시 / 책 / 신발 / 연필

옷장에는 옷을 넣고, 싱크대에는 접시를 넣습니다.

3주차 관계 추리

DAY 5

관계 추리 (2)

관계가 맞도록 빈 곳에 알맞은 그림을 찾아 기호를 쓰세요.

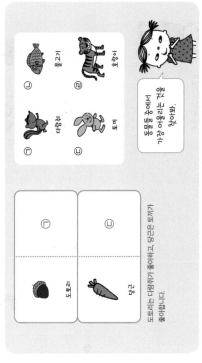

동물들 중에서 가장 어울리는 것을 찾아봐.

㉠	도토리
㉢	당근

도토리는 다람쥐가 좋아하고 당근은 토끼가 좋아합니다.

❶

㉡	아이스크림
㉣	책

아이스크림은 냉장고에 넣고, 책은 책장에 넣습니다.

pensées

❷

㉠	돈
㉡	연필

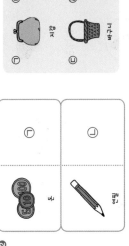

돈은 지갑에 넣고, 연필은 필통에 넣습니다.

❸

㉡	2
㉣	4

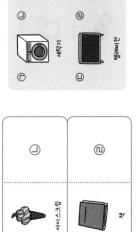

젓가락은 2개, 울가락은 4개입니다.

확인학습

3 주차

관계가 같은 것끼리 선으로 이어 보세요.

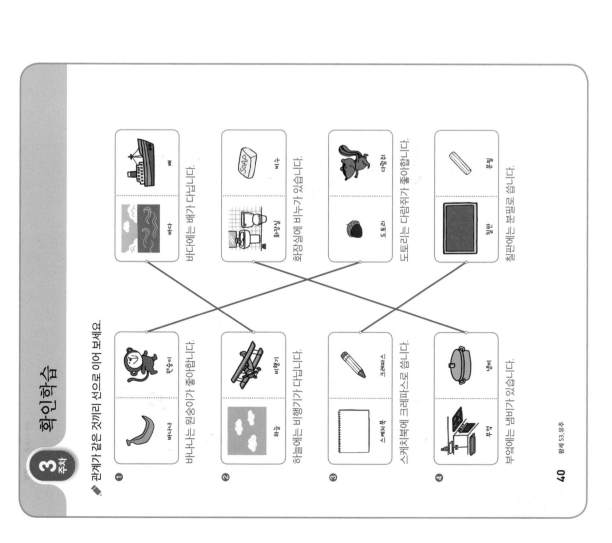

① 원숭이 / 바나나
바나나는 원숭이가 좋아합니다.

② 비행기 / 하늘
하늘에는 비행기가 다닙니다.

③ 크레파스 / 스케치북
스케치북에 크레파스로 씁니다.

④ 냄비 / 부엌
부엌에는 냄비가 있습니다.

배 / 바다
바다에는 배가 다닙니다.

비누 / 화장실
화장실에 비누가 있습니다.

다람쥐 / 도토리
도토리는 다람쥐가 좋아합니다.

분필 / 칠판
칠판에는 분필로 씁니다.

40

평생 S3_유추

4주차 관계 상자

DAY 1

관계 상자

관계 상자에 넣었을 때 나오는 것을 찾아 선으로 이어 보세요.

관계 상자에 병아리를 넣었더니 닭이 나왔어. 이 관계에 올챙이를 넣으면 어떻게 될까?

병아리가 자라서 닭이 되고, 올챙이가 자라서 개구리가 됩니다.

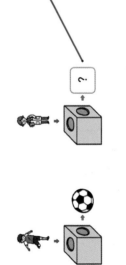

축구 선수는 축구공을 사용하고, 의사는 청진기를 사용합니다.

손에는 장갑을 끼고, 발에는 양말을 신습니다.

바나나는 원숭이가 좋아하고, 당근은 토끼가 좋아합니다.

가지는 보라색이고, 오이는 초록색입니다.

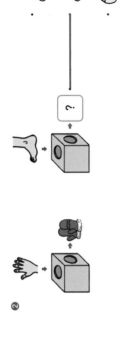

DAY 2 개수가 바뀌는 상자

관계 상자에 넣었을 때 나오는 것을 찾아 ◯표 하세요.

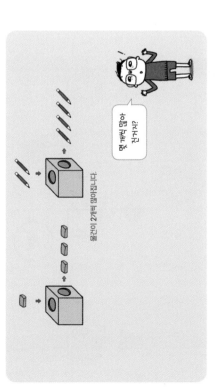

물건이 2개씩 많아집니다.

몇 개씩 많아진 거지?

①

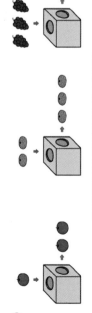

물건이 1개씩 많아집니다. 따라서 포도를 3개 넣으면 도토리 4개가 나옵니다.

②

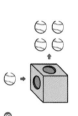

물건이 1개씩 작아집니다. 따라서 가위를 2개 넣으면 1개가 나옵니다.

③

물건이 3개씩 많아집니다. 따라서 야구공을 2개 넣으면 5개가 나옵니다.

4주차 관계 상자

DAY 3 모양이 바뀌는 상자

✏️ 관계 상자에 넣었을 때 나오는 것을 찾아 ○표 하세요.

크기가 커집니다.

모양의 크기가 변했어.

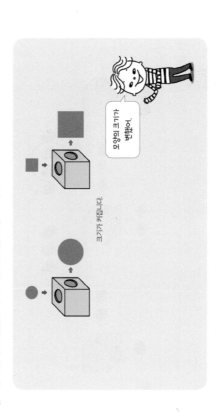

크기가 작아집니다.

❶ ?

pensées

오른쪽 모양만 나옵니다.

❷ ?

모양을 반으로 잘랐을 때 윗부분만 나옵니다.

❸ ?

DAY 4 이중 상자 (1)

✏ 관계 상자에 넣었을 때 나오는 것을 찾아 ○표 하세요.

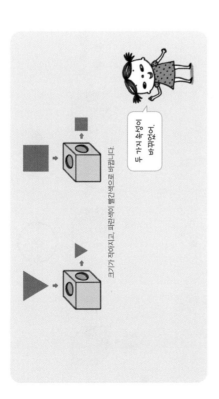

크기가 작아지고 파란색으로 바뀝니다.

모양은 바뀌지 않아요.

❶

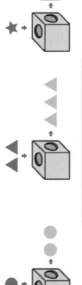

개수가 1개씩 늘어나고, 초록색이 노란색으로 바뀝니다.

---

❷

모양이 △에서 □로 바뀌고, 크기가 커집니다.

❸

모양이 ☆에서 ○로 바뀌고, 개수가 1개씩 늘어납니다.

pensées

DAY 5 이중 상자 (2)

✏️ 관계 상자에서 나온 것을 보고 상자에 넣은 모양을 찾아 ◯표 하세요.

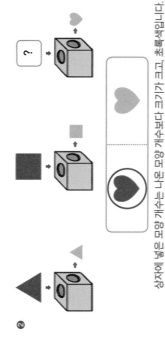

모양의 개수와 색깔이 바뀌었네.

상자에 넣은 모양 개수는 나온 모양 개수보다 1개 적고, 색깔은 빨간색입니다. 따라서 상자에 처음 넣은 모양은 ■입니다.

① 상자에 넣은 모양 개수는 나온 모양 개수보다 2개 적고, 노란색입니다.

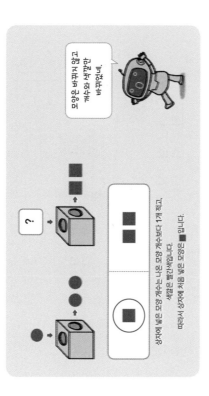

② 상자에 넣은 모양 개수는 나온 모양 개수보다 크기가 크고, 초록색입니다.

③ 상자에 넣은 모양 개수는 나온 모양 개수보다 1개 많고, 빨간색입니다.

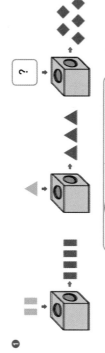
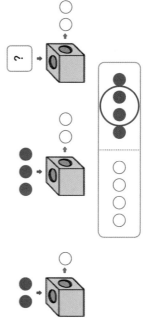

확인학습

✏️ 관계 상자에 넣었을 때 나오는 것을 찾아 ◯표 하세요.

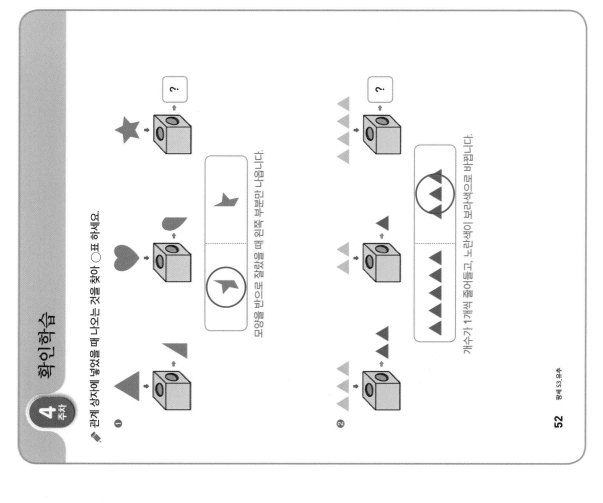

❶ 모양을 반으로 잘랐을 때 왼쪽 부분만 나옵니다.

❷ 개수가 1개씩 줄어들고, 노란색이 보라색으로 바뀝니다.

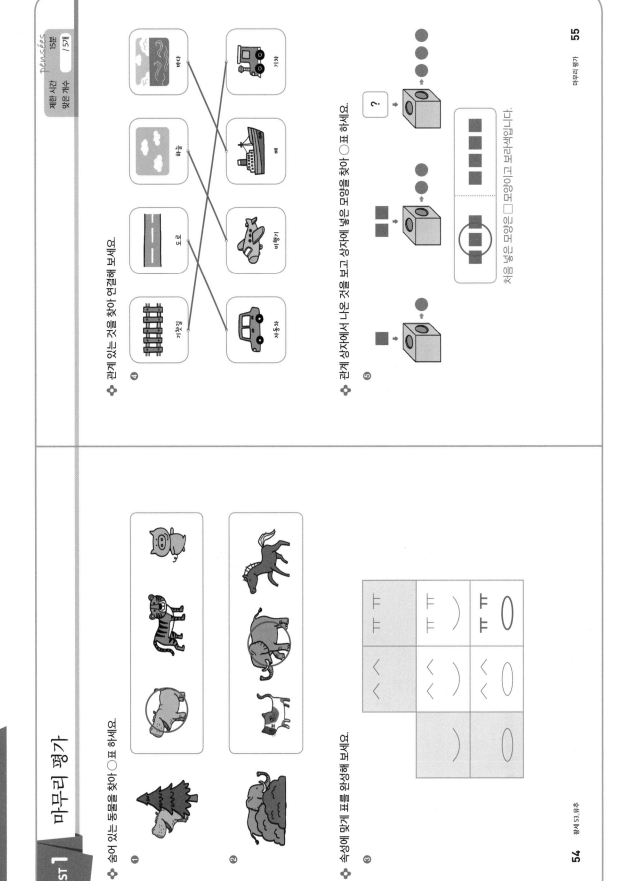

TEST 2 마무리 평가

❖ 동물을 찾아 선을 이어 보세요.

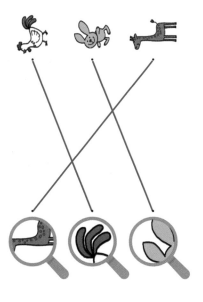

❖ 관계있는 것끼리 모아 놓았습니다. 어울리지 않는 것을 1개 찾아 ×표 하세요.

②
③

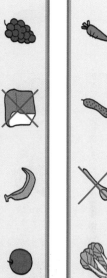

❖ 관계를 찾아 빈 곳에 들어가는 그림에 ○표 하세요.

④
딸기

빨간색   보라색

귤
포도   사과
바나나

빨간색 과일은 딸기이고
보라색 과일은 포도입니다.

⑤
책   책장

필통   신발

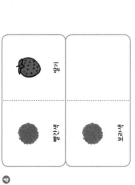

당근
접시   연필
필통

책장에는 책을 넣고
필통에는 연필을 넣습니다.

❖ 관계 상자에 넣었을 때 나오는 것을 찾아 선으로 이어 보세요.

⑥

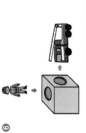

?

소방관은 소방차를 타고 경찰관은 경찰차를 탑니다.

마무리 평가

TEST 3

Pensées

제한 시간　15분
맞은 개수　/7개

❖ 알맞은 그림자를 찾아 ○표 하세요.

❶

❷

❖ 모양, 색깔 속성을 모두 만족하도록 표를 만들었습니다. 잘못된 것을 찾아 ×표 하세요.

❸

모양 색깔		

● 과 ◯ 가 만나는 곳에는 ◢ 가 있어야 합니다.

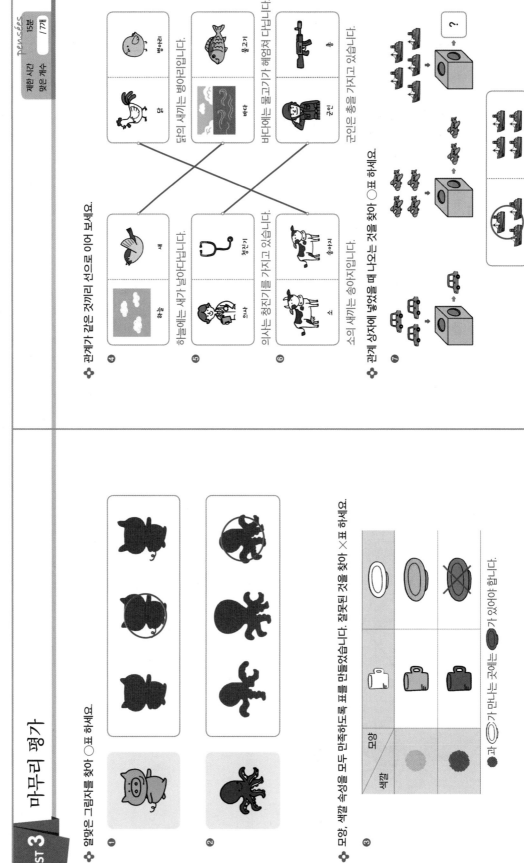

❖ 관계가 같은 것끼리 선으로 이어 보세요.

❹

닭의 새끼는 병아리입니다.

병아리

닭

새

하늘

❺

하늘에는 새가 날아다닙니다.

청진기

의사

바다

물고기

❻

의사는 청진기를 가지고 있습니다.

송아지

소

군인

총

바다에는 물고기가 헤엄쳐 다닙니다.

소의 새끼는 송아지입니다.

군인은 총을 가지고 있습니다.

❖ 관계 상자에 넣었을 때 나오는 것을 찾아 ○표 하세요.

❼

?

장난감이 2개씩 짝이집니다.
따라서 배 장난감을 5개 넣으면 3개가 나옵니다.

TEST 4 마무리 평가

❖ 그림자를 보고 없는 것을 찾아 ×표 하세요.

❶

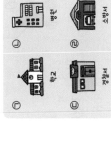

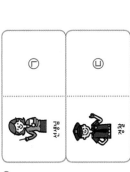

❖ 색깔과 모양 속성을 찾아 선으로 이어 보세요.

❖ 관계가 맞도록 빈 곳에 알맞은 그림을 찾아 기호를 쓰세요.

❺

| ㉠ 학교 | ㉡ 병원 |
| ㉢ 경찰서 | ㉣ 소방서 |

| 소방관 | ㉠ |
| 경찰 | ㉢ |

선생님은 학교에 있고 경찰은 경찰서에 있습니다.

❖ 관계 상자에 넣었을 때 나오는 것을 찾아 ○표 하세요.

❻

은쪽으로 나옵니다.

?

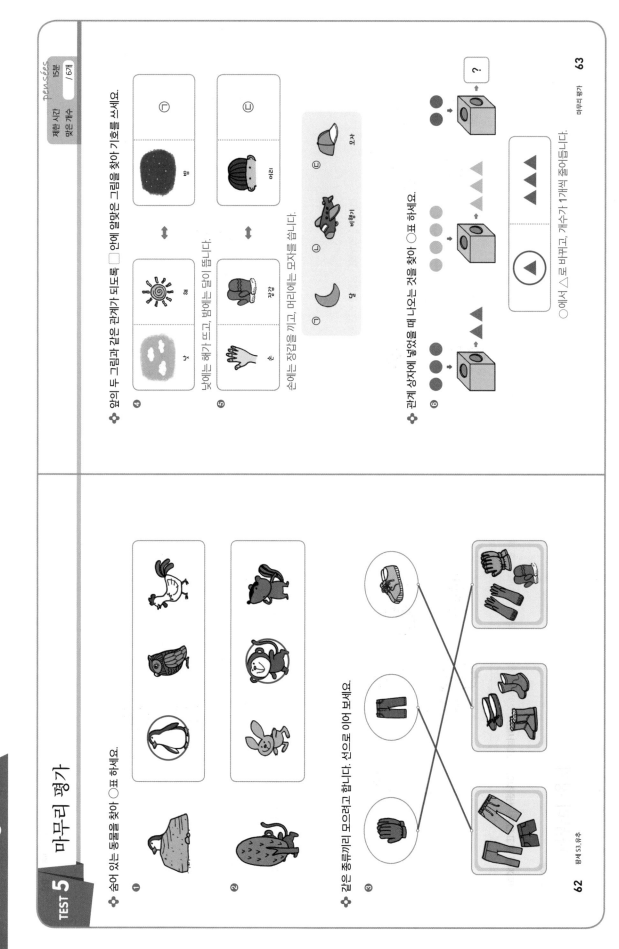

TEST **5**

마무리 평가

pensées

제한 시간 15분
맞은 개수 / 6개

❖ 숨어 있는 동물을 찾아 ○표 하세요.

❶

❷

❖ 같은 종류끼리 모으려고 합니다. 선으로 이어 보세요.

❸

❖ 앞의 두 그림과 같은 관계가 되도록 □ 안에 알맞은 그림을 찾아 기호를 쓰세요.

❹

낮 ↕ 밤 ⓒ
해 ↕ 별 ⓒ

낮에는 해가 뜨고, 밤에는 달이 뜹니다.

❺

손 ↕ 머리 ⓒ
장갑 ↕ 모자 ⓒ

손에는 장갑을 끼고, 머리에는 모자를 씁니다.

ⓒ 달 ⓒ 비행기 ⓒ 모자

❖ 관계 상자에 넣었을 때 나오는 것을 찾아 ○표 하세요.

❻

○에서 △로 바뀌고, 개수가 1개씩 줄어듭니다.

pensées

pensées

⁓투엠 지식과상상 _{since 2013} 연구소

교재 소개 및 난이도 안내

			하	중	상
도형	도형 학습 스타트 **플라토**	6세 ~ 초6			
연산	연산의 새로운 기준 **칸토의 연산**	5세 ~ 초6			
	연산으로 상위권 점프 **응용연산**	6세 ~ 초6			
서술형	수학 실력은 결국 독해력 **수학독해**	6세 ~ 초6			
사고력	반드시 필요한 사고력만 **팡세**	6세 ~ 초6			
예비초등수학	쉽게, 빠르게, 재미있게 **구구단**	5세 ~ 초2			
	저학년 시간 학습 준비 끝 **시계와 달력**				
	꼭 알아야 할 실생활 수학 **길이와 화폐**				
	기초 튼튼, 개념 탄탄 **분수**				

Man is but a reed,
the most feeble thing in nature;
but he is a thinking reed,

"인간은 자연에서 가장 연약한 갈대에 불과하다.
하지만 인간은 생각하는 갈대이다."

Blaise Pascal, 블레즈 파스칼

초등 수학 교구 상자

펜토미노턴

평면 공간감각을 길러주는 회전 펜토미노 퍼즐

초등학생들이 어려워하는 '평면도형의 이동'을 펜토미노와 패턴블록으로 도형을 직접 돌려 보며 재미있게 해결하는 공간감각 퍼즐입니다.

큐브빌드

입체 공간감각을 길러주는 멀티큐브 퍼즐

 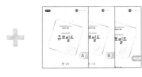

머릿속으로 그리기 어려운 입체도형을 쌓기나무와 멀티큐브를 이용하여 직접 만들어 위, 앞, 옆 모양을 관찰하고, 다양한 입체 모양을 만드는 공간감각 퍼즐입니다.

폴리탄

도형 감각을 길러주는 입체 칠교 퍼즐

정사각형을 7조각으로 자른 '입체 칠교'와 직각이등변삼각형을 붙인 '입체 볼로'를 활용하여 평면뿐만 아니라 다양한 입체도형 문제를 해결하는 퍼즐입니다.

트랜스넘버

자유자재로 식을 만드는 멀티 숫자 퍼즐

자유자재로 식을 만들고 이를 변형, 응용하는 활동을 통해 연산 원리와 연산감각을 길러주는 멀티 숫자 퍼즐입니다.

머긴스빙고

수 감각을 길러주는 창의 연산 보드 게임

빙고 게임과 머긴스 게임을 활용하여 수 감각과 연산 능력을 끌어올리고 전략적 사고를 키우는 사고력 보드 게임입니다.

폴리스퀘어

공간감각을 길러주는 입체 폴리오미노 보드 게임

모노미노부터 펜토미노까지의 폴리오미노를 이용하여 다양한 모양을 만들어 보고, 여러 가지 땅따먹기 게임 등을 통해 공간감각을 기를 수 있는 보드 게임입니다.

큐보이드

입체를 펼치고 접는 전개도 퍼즐

여러 가지 모양의 면을 자유롭게 연결하여 접었다 펼치는 활동을 통해 정육면체, 직육면체 전개도의 모든 것을 알아보는 전개도 퍼즐입니다.